© 2005, Editorial Corimbo por la edición en español
Ronda del General Mitre 95, 08022 Barcelona
e-mail: corimbo@corimbo.es
www.corimbo.es
Traducción al español: Anna Coll-Vinent
1ª edición enero 2005
© 2002, l'école des loisirs, París
Título de la edición original: «Scritch scratch dip clapote!»
Impreso en Italia por Grafiche AZ, Verona
ISBN: 84-8470-197-2

Kitty Crowther

¡Scric scrac bibib blub!

Corimbo

Como cada noche, la oscuridad envuelve el estanque.
Y, como cada noche, Jerónimo tiene miedo.

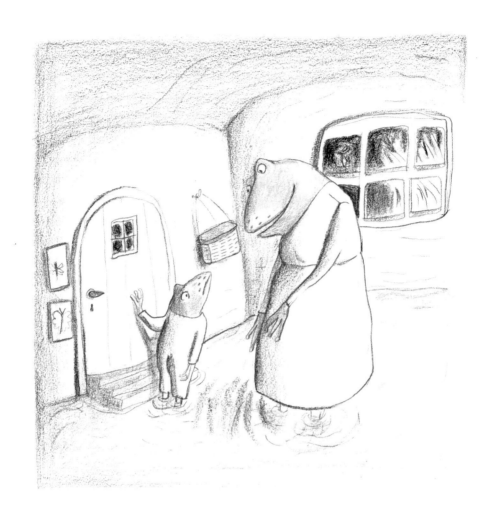

«A la cama, ranita», dice mamá.
Jerónimo comprueba si la puerta está bien cerrada…

… y después sigue a su mamá dando saltitos en el agua. Mientras mamá está con él, Jerónimo se siente bien.

En el cuarto de baño,
Jerónimo se lava la cara
y las manos.

Se cepilla la boca.
Mamá se acerca para
escuchar cómo frota.

Se pone el pijama solito.
Mamá se lo abrocha.

«¡Un último pipí
y a la cama!»,
canturrea mamá.

Mamá sabe que a su ranita le asusta mucho la noche.
«Ahora vendrá papá y te leerá un cuento.»

¡Aquí está papá!
Jerónimo se acomoda en su regazo.
¡Cómo le gustaría que este momento
no terminara nunca!

«Buenas noches, Jerónimo.

No tengas miedo : estaré aquí al lado.

Ahora voy a buscar a mamá

para que te dé el besito de buenas noches.»

Papá le da un beso y se va.

«Un mimito, mamá.

Un besito,

un besito
y otro mimito.

Otro...»
«¡Basta!,
bolita verde...

Ahora, ¡a dormir!
Dejaré encendida
la luz del pasillo.

Que tengas
dulces sueños.»

«Estoy solo en la habitación», se dice Jerónimo.
«Solo en la cama, completamente solo.»

« Creo que he oído un ruido…

¿Quién hace "scric scrac bibib blub"
debajo de mi cama?

¿Un monstruo de agua dulce?

¿Una serpiente con plumas?

O peor, ¿un esqueleto de los pantanos?»

Jerónimo tiembla de miedo.
Se levanta y va hacia la habitación
de sus padres.

«¡Papá, papá!», cuchichea Jerónimo.

«¡Despierta! Hay algo que hace
"scric scrac bibib blub" debajo de mi cama.»

Papá abre un ojo:

«¿Scric scrac bibib blub?», suspira.

«¡Claro!, ranita, son los ruidos de la noche.
¡Vuelve a la cama!

¡Duerme, Jerónimo!», dice papá,
cerrándole los ojos con la mano.
«Verás cómo, cuando abras los ojos,
ya será de día.»

¡Pero aún no es de día!
Y Scric scrac bibib blub sigue ahí.

Jerónimo se refugia de nuevo
en la habitación de sus padres.
«Scric scrac bibib blub sigue ahí.»

«¡Basta, Jerónimo, es muy tarde!
Scric scrac bibib blub no está
en tu habitación. ¡A estas horas
está durmiendo!», croa papá.

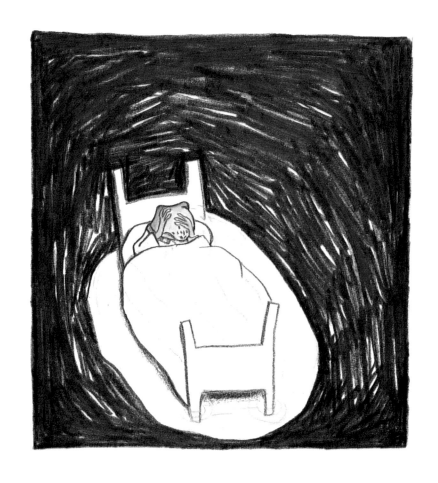

Jerónimo vuelve a sentirse solo,
terriblemente solo.

Temblando de miedo, se desliza
poco a poco hacia el pasillo.

«¡Mamá, tengo mucho miedo!»
Mamá se despierta y coge a Jerónimo en brazos.

Jerónimo se instala entre sus padres.
¡Por fin puede dormir!

Pero papá, en cambio, no consigue dormir
al lado de Jerónimo, que no deja de dar patadas.
Agotado, atraviesa el pasillo…

… y se mete en la cama de Jerónimo.
Se duerme. De repente, se despierta
al oír un scric scrac bibib blub.
«¿Qué es esto?»

Va a buscar a Jerónimo. «¡Ven!
Vamos afuera a ver quién hace
"scric scrac bibib blub"», cuchichea.

En la oscuridad de la noche, papá nada con
Jerónimo hacia una gran hoja de nenúfar.

«Scric scrac bibib blub»,
oyen en el silencio de la noche.

¡Scric scrac! Un topo cava su galería.
¡Bibib! El ave nocturna lanza su grito.
¡Blub! Un pez plateado salta
y se sumerge de nuevo en el agua.
Jerónimo mira la noche y sonríe…

«¿Sabes qué, papá?
Creo que ya no me asusta la noche.»
Y los dos se duermen allí mismo,
Arrullados por el ruido del agua y por los
«scric... scrac... bibib... blub».